Un secret

FichesdeLecture.com

Un secret
(Fiche de lecture)

I. RÉSUMÉ DE L'ŒUVRE

Philippe est le fils unique de Maxime et de Tania. Mal dans sa peau, il s'invente un frère aîné plus doué, plus grand, plus fort que lui qui le soutient et le protège dans les moments difficiles. Philippe souhaite ce frère fictif tellement fort qu'il lui accorde une place réelle dans sa vie : il le présente à ses amis, il le décrit à tout le monde, il l'attend pour aller déjeuner, il l'entend lui murmurer des conseils à l'oreille... Sa présence en est presque palpable. L'origine de cette invention remonte au jour où avec sa mère, il se rend dans la chambre de service. Il y découvre un petit chien en peluche qui lui plaît beaucoup. Mais sa mère, troublée, lui interdit de l'emmener. Triste et seul, il pleure le soir sur l'épaule du frère qu'il vient de s'inventer et qui l'aide à partir de ce moment là à surmonter ses peurs. Quelque temps plus tard, il retourne avec sa mère dans la chambre de service. Cette fois, elle ne parvient pas à l'empêcher d'embarquer l'animal en peluche. Ce nouvel ami, qu'il surnomme Sim, ne le quitte plus. Il l'accompagne partout et l'appelle sans cesse à travers la maison : « Sim ! Sim ? Sim ! ». Ses parents semblent mal à l'aise, mais Philippe ne comprend pas leur comportement. Malgré la compagnie de son chien en peluche et de son frère fictif, Philippe se fait toujours beaucoup de soucis, dort mal, et inquiète ses parents par sa maigreur. Ni lui ni les médecins qui le suivent ne comprennent l'origine de ce mal-être.

Une chose est sûre : Philippe admire ses parents. Il admire particulièrement leurs corps et leur beauté, car tous deux sont de grands athlètes. Musclés, sportifs, ils passent la plupart de leur temps libre à s'entraîner. Philippe a « longtemps été un petit garçon qui se rêvait une famille idéale ».[1] Il n'en sait pas beaucoup sur la rencontre de ses parents, mais se la représente très précisément d'après les rares informations que lui racontent ses

[1] P37

parents. Selon lui, Maxime et Tania se rencontrent la première fois dans un stade. Au premier regard, c'est le coup de foudre : elle craque pour son corps d'athlète et son côté charmeur, il est séduit par sa beauté parfaite. Au bout de quelques mois de relation, ils s'installent ensemble et vendent des articles de sport. La guerre les pousse à se réfugier en France libre, période finalement paisible et heureuse qu'ils décrivent avec nostalgie. Après la guerre, ils se réinstallent à Paris. La remise sur pied du magasin est difficile, mais reprend avec leurs efforts et leur engouement. Alors que les blessures de la guerre cicatrisent petit à petit, Tania exprime son désir d'enfant. Maxime souhaiterait profiter de sa femme seule encore quelques années, mais Tania finit par tomber enceinte. La naissance de Philippe est une vraie surprise : eux qui s'attendaient à un gros bébé en pleine santé se retrouvent avec un petit être chétif et proche de la mort. Le premier regard de Maxime sur son fils, déçu, semble avoir marqué Philippe qui ne sent pas vraiment estimé par son père.

À quinze ans, alors qu'un professeur montre une vidéo sur la seconde guerre mondiale à ses élèves, le voisin de Philippe fait une remarque désobligeante sur les juifs. Philippe est choqué : Louise, une amie très proche de sa famille, est juive. Sans réfléchir, il tape son voisin et une bagarre s'ensuit. Le soir, il raconte cet événement à Louise. Celle-ci attendait ce moment depuis longtemps : c'est pour elle un signe que Philippe est prêt à entendre d'où il vient. Elle se met alors à lui raconter une vérité surprenante et dure à accepter : Philippe est juif et Tania et Maxime, ses parents, étaient à l'origine beaux-frères et belle-sœur. Maxime était marié avec Hannah et avait un fils avec elle, Simon. Petit à petit, au fil de discussions secrètes avec Louise, Philippe apprend toute la vérité sur son origine. Grâce aux révélations de son amie, il s'imagine alors sa famille comme elle l'est vraiment.

Maxime doit se marier avec Hannah. Le jour de son mariage, il rencontre son beau-frère Robert et sa femme Tania. Il est ébloui par la beauté de Tania. Toute la cérémonie, il doit se concentrer pour ne pas penser à elle. Mais une fois le mariage fini, Robert et Tania rentrent chez eux. Puis Hannah tombe enceinte et la présence de sa femme et de son fils suffit au bonheur de Maxime. Au début de la guerre, Robert part sur le front et Tania rejoint la famille de son mari à Paris. Pendant un entraînement de Tania à la piscine où tout le monde est présent, Hannah remarque dans le regard de son mari qu'il est fou de sa belle-sœur. Hannah n'est pas une battante, elle s'éclipse et se rapproche encore plus de son fils. Alors que la France est occupée, une partie de la famille part s'installer en zone libre. Lorsque Hannah apprend que Tania a rejoint son mari, elle panique et comprend que rien ne pourra empêcher le rapprochement de ces deux êtres qui semblent aller si bien ensemble. Les choses se gâtent en France occupée. Le quartier est bouclé, les parents de Hannah sont emmenés par les Nazis. Cet événement précipite le départ de Hannah, Simon, Louise et Esther pour l'Indre. La petite troupe s'organise et tout est prêt pour le passage en zone libre. Ils s'arrêtent dans un café en attendant un signal du passeur. Simon part aux toilettes et confie à Louise son petit chien en peluche. Des Nazis entrent dans le café et demandent à voir les papiers de tout le monde. La tension est à son comble. Louise et Esther s'en sortent, mais les papiers que Hannah présente ne semblent pas plaire aux militaires. Quand Simon sort des toilettes, Hannah déclare : « c'est mon fils ». Louise et Esther comprennent trop tard l'acte suicidaire de Hannah. Les Nazis emmènent la mère et l'enfant avant que les deux femmes ne puissent intervenir. Penaudes, elles traversent la frontière et rejoignent seules le reste de famille. Elles parlent d'imprudence et n'osent pas révéler la vérité. Tous sont effondrés. Maxime se réfugie dans une barrière de silence et de souffrance. Puis il se rapproche de Tania, et une liaison secrète commence. Avec le temps, ils s'enhardissent et se révèlent à leurs proches. D'abord choqués, ceux-ci finissent par accepter la situation. À la libération, tout le petit monde retourne s'installer à Paris et les deux amants prennent leurs distances. On apprend que Robert ainsi que les parents de Hannah sont morts, et les doutes sur la fin de Hannah et de Simon laissent place à une certitude quand on ne les voit pas revenir. Les deux amants se réinstallent ensemble et font un enfant, Philippe. Ils changent leur nom à consonance juive, Grinberg, en Grimbert, plus neutre.

Philippe est profondément marqué par la vérité sur ses origines. Pourtant, ces révélations qu'il avait comme toujours eu en lui lui font paradoxalement beaucoup de bien. Il mange mieux, dort mieux et semble en paix avec lui-même. En vérifiant dans les registres de l'État, il apprend que Hannah et Simon sont morts à Auschwitz le lendemain de leur arrivée. Lui qui craignait qu'ils aient passé des mois en camp de concentration est soulagé par cette nouvelle. Il apprend à vivre avec son passé et laisse sa peluche Sim pour un vrai chien, Écho. Les années passent. Un jour en rentrant chez lui, il trouve ses parents effondrés. Écho s'est fait écraser par une voiture lors d'une promenade parce que Maxime refusait de lui mettre sa laisse. Philippe, cherchant à consoler son père, lui confie : tu es responsable de la mort d'Écho, mais seulement de cela. Sous le regard inquisiteur de son père, Simon lui avoue tout ce qu'il sait sur sa famille. D'abord surpris, Maxime et Tania sont finalement soulagés d'être libérés de ce lourd secret.

Philippe, aujourd'hui adulte, explique que l'écriture de ce livre a été un moyen de faire son deuil, non seulement des personnes qu'il n'a pas connues, Hannah et Simon, mais aussi de son grand-père Joseph et de ses parents. En effet, sa mère, victime d'une attaque, est devenue paralytique. Son père n'a pas pu supporter de voir la déchéance physique de la magnifique jeune femme d'autrefois. Il s'est suicidé en sautant de son balcon, entraînant sa femme dans sa chute.

II. ANALYSE DES PERSONNAGES PRINCIPAUX

Philippe

Le personnage principal et narrateur est aussi l'auteur du roman. C'est d'ailleurs ainsi que l'on sait que le héros s'appelle Philippe car ce prénom n'apparaît à aucun moment du récit. Personne ne le nomme ou ne l'interpelle, il ne se présente pas, comme s'il était un peu transparent et sans identité. Philippe est un jeune garçon très perturbé qui ne comprend pas la cause de son malaise. Il est depuis sa naissance un être fragile, chétif, qui dort mal et mange mal. Certains passages laissent deviner son extrême maigreur. Solitaire, triste, timide, Philippe trouve refuge dans l'univers qu'il se construit auprès de son chien en peluche et de son frère fictif. Si son frère l'aide à traverser les moments difficiles, il est aussi une source de malaise car Philippe ne cesse de se comparer à lui. Il se trouve plus petit, moins fort, moins doué que son frère, il perd systématiquement lorsqu'ils se chamaillent, si bien que Philippe se sous-estime toujours. Une fois qu'il saura la vérité, il comprendra qu'il ne pouvait que perdre car on ne gagne pas contre un mort. En quelque sorte, Philippe a toujours porté son passé en lui. Alors que ses parents lui ont caché leur secret, il ressent un véritable malaise dans sa famille. Sans que son père ne lui ait jamais rien dit, il souffre de ne pas trouver d'admiration dans ses yeux et pense que son physique chétif est la raison de ce manque de reconnaissance. De plus, il ressent la présence de son frère dès qu'il pénètre pour la première fois dans la pièce où les affaires de Simon sont conservées. Enfin, il surnomme la peluche de son frère « Sim », ce qui explique le trouble de ses parents. Intuition, coïncidences, transmission de malaise parental ou histoires entendues inconsciemment ; les pistes sont nombreuses pour expliquer l'origine du mal-être de Philippe. Les révélations de Louise sur son passé sont libératrices pour le jeune homme. Son passé semblait nécessaire à son équilibre : Dès qu'il apprend qui il est et d'où il vient, il n'a de cesse d'en savoir plus. D'abord perturbé et jaloux de Simon, il finit par accepter la vérité. Il se sent plus en phase avec lui-même et commence à aller mieux physiquement et moralement. Aujourd'hui, il jette un regard très mûr sur sa famille, sur lui-même et sur son passé. Il a choisi d'écrire ce livre pour faire son deuil, a contribué à la publication d'un livre sur les victimes du nazisme pour que Simon ait un dernier hommage, et il souhaite retrouver son nom originel de Grinberg que son père avait changé en Grimbert alors qu'il était petit enfant.

Simon

Simon est l'exact inverse de son demi-frère Philippe. Grand, musclé, sportif, il fait la fierté de son père. Enfant désiré de Hannah et Maxime, il est en bonne santé, mange bien, dort bien, est confiant et drôle. Simon est apprécié de tous. Le fait que sa famille l'ait connu et aimé avant sa naissance rend Philippe jaloux. La relation de Simon et de Philippe semble fonctionner sur un système de vases communicants. Tout d'abord, la présence de Simon, lourde et palpable, fait de l'ombre à Philippe qui est chétif et malade. Dès que Philippe apprend la vérité et peut faire son deuil, donc dès que son frère s'éloigne en quelque sorte de lui, il se rétablit.

Maxime

Le père de Simon et Philippe est un homme sportif, charmeur et très séduisant. Sûr de lui, il enchaîne les conquêtes. Le jour de son mariage, il est ébloui par la beauté de Tania. Il ne se remettra pas de cette rencontre. Seul l'éloignement de sa belle-sœur lui permet de ne pas trop penser à elle et de se concentrer sur sa famille. Il est d'ailleurs heureux avec sa femme et très fier de son fils. Malgré l'immense souffrance d'être sans nouvelles de Hannah et de Simon, il ne peut plus contenir son désir pour Tania. Un remords irrépressible le gagne alors qu'il devient l'amant de sa belle-sœur. Follement amoureux, il s'installe avec sa nouvelle compagne après la fin de la guerre et se spécialise dans la vente d'articles de sport. Les années passent et il ne se lasse pas de Tania. Il repousse même son désir d'enfant pour pouvoir profiter seul un maximum de la magnifique femme qui partage sa vie. Maxime est déçu et triste de voir la fragilité de son deuxième fils, mais s'en occupe avec amour. Lorsque Philippe parle à son père de son passé, on constate qu'il n'a pas fait son deuil malgré toute les années et qu'il porte toujours sa culpabilité et sa souffrance en lui. La position de Philippe le libère définitivement. Finalement, il se suicide en ne pouvant pas supporter la vision de sa femme handicapée.

Tania

Tania est d'une beauté à couper le souffle. Si elle n'est pas indifférente au charme de Maxime, elle refuse de se laisser séduire par cet homme prétentieux qui a osé la provoquer du regard le jour de son propre mariage. Mais son amour refoulé pour Maxime s'épanouit auprès de lui, d'abord à Paris, puis dans l'Indre. Tania est horrifiée de constater que la mort de son mari Robert et la disparition de Hannah et Simon l'arrangent bien. Auprès de Maxime, elle semble avoir trouvé le bonheur. Maxime et Tania semblent complémentaires et faits l'un pour l'autre. Son attaque est vécue comme une véritable tragédie. Elle qui était une très grande athlète ne peut plus se déplacer qu'en traînant la jambe.

Hannah

Hannah est une femme aimante et sans histoires. Peu après son mariage, elle tombe enceinte d'un enfant désiré profondément. Maxime et Hannah vouent un amour inconditionnel à leur fils Maxime. Douce et peu combative, elle se retire lorsqu'elle aperçoit dans le regard de son mari un désir fou pour Tania. Ces deux-là semblent en effet faits l'un pour l'autre et elle estime que rien ne pourra les empêcher de se trouver. Cependant, elle est profondément blessée quand elle apprend que sa belle-sœur a rejoint Maxime dans l'Indre alors qu'elle est encore bloquée à Paris avec son fils. Fébrile, ses parents venant d'être emmenés par les Nazis, elle planifie sa mission suicide. À la manière d'une héroïne tragique, elle se dénonce aux Nazis juste avant de passer en France libre en leur fournissant ses vrais papiers d'identité. Plutôt mourir que d'être blessée dans son honneur de femme. Jalousie, vengeance et possessivité la motivent à dénoncer Simon en même temps. Elle ne laisse ainsi à son fils bien-aimé aucune chance de survie.

Louise

Louise est une amie intime de la famille Grimbert. Cette masseuse d'une soixantaine d'année, qui fume beaucoup et boit occasionnellement, travaille dans le magasin de Maxime et Tania. Amie fidèle depuis de longues années, elle a traversé avec eux les moments les plus difficiles de leur existence : la guerre, la disparition de Hannah, Simon, et Robert, la reconstruction d'une famille etc. Elle n'a jamais osé avouer à Maxime que sa femme a donné volontairement de faux papiers aux Nazis ; elle a préféré parler d'erreur. Très proche de Philippe, Louise décide de lui raconter le secret familial lorsqu'elle estime qu'il est prêt à l'entendre. Elle qui le connaît bien a sûrement compris qu'il était nécessaire que Philippe apprenne la vérité pour pouvoir se construire.

III. ANALYSE DE L'ŒUVRE : UNE AUTOBIOGRAPHIE A PLUSIEURS FONCTIONS

UNE AUTOBIOGRAPHIE ?

Un secret est le second roman de Philippe Grimbert après *La petite robe de Paul* parue en 2001. Son statut d'autobiographie est intriguant. Son nom de famille apparaît à plusieurs reprises dans l'ouvrage et fait place au doute. Les termes d' « histoire personnelle » ou de « part intime de la vie de l'auteur » indiquent aussi qu'il s'agit d'une autobiographie. Pourtant, le terme n'apparaît nulle part. Qu'en est-il ? S'agit-il vraiment d'une autobiographie ? Quels sont les motifs qui ont poussé l'auteur à raconter cette histoire ancienne et très personnelle ? Tous les éléments ont ils vraiment eu lieu ? Dans quelle mesure peut on parler de vérité historique ?

Seul l'auteur peut donner plus d'informations à ce sujet. Or Philippe Grimbert affirme dans un entretien que si ce livre est très largement autobiographique, il n'a pas précisé « roman » sous le titre sans raison.[22] Selon ses propres mots, tout est à la fois vrai et faux. Il a rédigé *Un secret* grâce aux informations et repères qu'il a pus glaner, mais certains éléments manquaient. Il a donc été forcé de recourir à la fiction pour combler ces blancs. De plus, certains éléments ont été modifiés pour intensifier le récit. Ainsi, Philippe n'a jamais eu de creux à la poitrine étant enfant. En revanche, il ressentait fortement ce vide dans la poitrine, comme si l'absence de son frère lui pesait. La fiction sert donc ici à petites doses la part vraie de l'histoire.

Comme il s'agit en grande partie d'une autobiographie, la question des motivations reste à éclaircir. Au delà de la volonté de raconter une histoire touchante et personnelle, plusieurs raisons semblent expliquer l'écriture de ce roman.

Un hommage aux gens évoqués

Tout d'abord, ce livre permet de livrer un dernier hommage aux gens évoqués au cours du récit. En effet, le narrateur explique que toutes les personnes qui lui étaient proches sont mortes : ses parents, ses grands-parents, son frère, Louise. En racontant leur histoire, il les fait vivre à nouveau à travers les générations de lecteurs, il fait connaître leur histoire et leur rend ainsi un majestueux hommage posthume.

Une auto-psychanalyse

Pas besoin d'être psychanalyste pour comprendre que l'écriture d'*Un secret* a aussi été pour l'auteur un moyen de se débarrasser du poids de son passé. Ce secret a toujours été extrêmement lourd à porter, si bien que ses parents ont en connaissance de cause décidé de le cacher à leur fils. Philippe, sans le connaître, l'a ressenti dans son corps et dans son âme. Lorsqu'il l'apprend par Louise, il est impressionné et semble avoir besoin de le raconter pour se l'approprier et l'accepter. En racontant son histoire et en décrivant sa famille, il analyse à posteriori ses réactions et le comportement de ses parents. Cela permet d'expliquer son mal-être,

---

[2] Grimbert, Philippe : Un secret. Audiolib. Lu par l'auteur. Chapitre 9 : Entretien avec l'auteur.

de justifier sa vocation pour la psychanalyse, de pardonner à ses parents et de les déculpabiliser. Mais c'est aussi un moyen de faire le deuil. Certes, il fait revivre ses proches en racontant leur vie. Mais il écrit également noir sur blanc qu'ils ont disparu. Certains gestes sont de véritables symboles, et écrire ce roman est un moyen de clore son passé et de se tourner vers l'avenir. D'ailleurs, l'auteur dit lui même qu'il a fourni une photo de Simon à des auteurs qui écrivaient un livre sur la guerre pour que ce livre soit sa tombe. Il semble que *Un secret* soit de la même façon la tombe de ses parents.

Une mise en question de l'identité juive

Ce roman est également une occasion de questionner l'identité juive. Philippe n'était pas conscient de son appartenance au judaïsme jusqu'à ce que Louise le lui révèle. Son père, honteux et souffrant de son passé, a décidé de changer son nom originel de Grinberg en Grimbert. Peu croyant, il n'a jamais manifesté d'attachements à la religion. La découverte de Philippe le trouble profondément. D'un coup, il se sent changé et se définit par sa religion. Il est nettement plus passionné par l'histoire de la seconde guerre mondiale qu'il ne l'était auparavant et veut tout apprendre de Louise. Aujourd'hui, il dit même envisager de reprendre son vrai nom. L'écriture de son roman fait aussi partie de la volonté de ne pas oublier l'horreur du génocide. Il estime en effet que c'est faire mourir deux fois Hannah et Simon que de taire leur existence : ils sont morts par la main des Nazis, et morts par le silence de leurs proches. Plutôt que de taire ce secret comme une honte, il faut crier la vérité.

Une réflexion sur le secret

On retrouve la marque du psychanalyste dans le roman de Philippe Grimbert avec toute la réflexion menée sur le secret. Le message transmis est que les secrets, plus ou moins gros, font partie de la vie. Certains ont vocation à être racontés, d'autres pas. Mais leur effet peut être destructeur. Philippe a étouffé sous le poids de ce non-dit. La communication, au contraire, l'a sauvé. Une fois que ses proches ont été libérés du poids de ce secret, ils ont pu revivre, et lui avec. L'accent est donc mis sur l'importance d'expliquer les difficultés que l'on traverse pour permettre de se construire, plutôt que de les taire.

Dans la même collection en numérique

Les Misérables
Le messager d'Athènes
Candide
L'Etranger
Rhinocéros
Antigone
Le père Goriot
La Peste
Balzac et la petite tailleuse chinoise
Le Roi Arthur
L'Avare
Pierre et Jean
L'Homme qui a séduit le soleil
Alcools
L'Affaire Caïus
La gloire de mon père
L'Ordinatueur
Le médecin malgré lui
La rivière à l'envers - Tomek
Le Journal d'Anne Frank
Le monde perdu
Le royaume de Kensuké
Un Sac De Billes
Baby-sitter blues
Le fantôme de maître Guillemin
Trois contes
Kamo, l'agence Babel
Le Garçon en pyjama rayé
Les Contemplations

Escadrille 80
Inconnu à cette adresse
La controverse de Valladolid
Les Vilains petits canards
Une partie de campagne
Cahier d'un retour au pays natal
Dora Bruder
L'Enfant et la rivière
Moderato Cantabile
Alice au pays des merveilles
Le faucon déniché
Une vie
Chronique des Indiens Guayaki
Je voudrais que quelqu'un m'attende quelque part
La nuit de Valognes
Œdipe
Disparition Programmée
Education européenne
L'auberge rouge
L'Illiade
Le voyage de Monsieur Perrichon
Lucrèce Borgia
Paul et Virginie
Ursule Mirouët
Discours sur les fondements de l'inégalité
L'adversaire
La petite Fadette
La prochaine fois
Le blé en herbe
Le Mystère de la Chambre Jaune
Les Hauts des Hurlevent
Les perses
Mondo et autres histoires
Vingt mille lieues sous les mers
99 francs
Arria Marcella
Chante Luna

Emile, ou de l'éducation
Histoires extraordinaires
L'homme invisible
La bibliothécaire
La cicatrice
La croix des pauvres
La fille du capitaine
Le Crime de l'Orient-Express
Le Faucon malté
Le hussard sur le toit
Le Livre dont vous êtes la victime
Les cinq écus de Bretagne
No pasarán, le jeu
Quand j'avais cinq ans je m'ai tué
Si tu veux être mon amie
Tristan et Iseult
Une bouteille dans la mer de Gaza
Cent ans de solitude
Contes à l'envers
Contes et nouvelles en vers
Dalva
Jean de Florette
L'homme qui voulait être heureux
L'île mystérieuse
La Dame aux camélias
La petite sirène
La planète des singes
La Religieuse
1984 A l'Ouest rien de nouveau
Aliocha
Andromaque
Au bonheur des dames
Bel ami
Bérénice
Caligula
Cannibale
Carmen

Chronique d'une mort annoncée

Contes des frères Grimm

Cyrano de Bergerac

Des souris et des hommes

Deux ans de vacances

Dom Juan

Electre

En attendant Godot

Enfance

Eugénie Grandet

Fahrenheit 451

Fin de partie

Frankenstein

Gargantua

Germinal

Hamlet

Horace

Huis Clos

Jacques le fataliste

Jane Eyre

Knock

L'homme qui rit

La Bête humaine

La Cantatrice Chauve

La chartreuse de Parme

La cousine Bette

La Curée

La Farce de Maitre Pathelin

La ferme des animaux

La guerre de Troie n'aura pas lieu

La leçon

La Machine Infernale

La métamorphose

La mort du roi Tsongor

La nuit des temps

La nuit du renard

La Parure

La peau de chagrin
La Petite Fille de Monsieur Linh
La Photo qui tue
La Plage d'Ostende
La princesse de Clèves
La promesse de l'aube
La Vénus d'Ille
La vie devant soi
L'alchimiste
L'Amant
L'Ami retrouvé
L'appel de la forêt
L'assassin habite au 21
L'assommoir
L'attentat
L'attrape-coeurs
Le Bal
Le Barbier de Séville
Le Bourgeois Gentilhomme
Le Capitaine Fracasse
Le chat noir
Le chien des Baskerville
Le Cid
Le Colonel Chabert
Le Comte de Monte-Cristo
Le dernier jour d'un condamné
Le diable au corps
Le Grand Meaulnes
Le Grand Troupeau
Le Horla
Le jeu de l'amour et du hasard
Le Joueur d'échecs
Le Lion
Le liseur
Le malade imaginaire
Le Mariage de Figaro
Le meilleur des mondes

Le Monde comme il va
Le Parfum
Le Passeur
Le Petit Prince
Le pianiste
Le Prince
Le Roman de la momie
Le Roman de Renart
Le Rouge et le Noir
Le Soleil des Scortas
Le Tartuffe
Le vieux qui lisait des romans d'amour
L'Ecole des Femmes
L'Ecume Des Jours
Les Bonnes
Les Caprices de Marianne
Les cerfs-volants de Kaboul
Les contes de la Bécasse
Les dix petits nègres
Les femmes savantes
Les fourberies de Scapin
Les Justes
Les Lettres Persanes
Les liaisons dangereuses
Les Métamorphoses
Les Mouches
Les Trois mousquetaires
L'étrange cas du Dr Jekyll et de Mr Hyde
L'Ile Au Trésor
L'île des esclaves
L'illusion comique
L'Ingénu
L'Odyssée
L'Ombre du vent
Lorenzaccio
Madame Bovary
Manon Lescaut

Micromégas
Mon ami Frédéric
Mon bel oranger
Nana
Ne tirez pas sur l'oiseau moqueur
Notre-Dame de Paris
Oliver twist
On ne badine pas avec l'amour
Oscar et la dame rose
Pantagruel
Le Misanthrope
Perceval ou le conte du Graal
Phèdre
Ravage
Roméo et Juliette
Ruy Blas
Sa Majesté des Mouches
Si c'est un homme
Stupeur et tremblements
Supplément au voyage de Bougainville
Tanguy
Thérèse Desqueyroux
Thérèse Raquin
Ubu Roi
Un Barrage contre le Pacifique
Un long dimanche de fiançailles
Un secret
Vendredi ou la vie sauvage
Vipère au poing
Voyage au bout de la nuit
Voyage au centre de la terre
Yvain ou le Chevalier au lion
Zadig

À propos de la collection

La série FichesdeLecture.com offre des contenus éducatifs aux étudiants et aux professeurs tels que : des résumés, des analyses littéraires, des questionnaires et des commentaires sur la littérature moderne et classique. Nos documents sont prévus comme des compléments à la lecture des oeuvres originales et aide les étudiants à comprendre la littérature.

Fondé en 2001, notre site FichesdeLectures.com s'est développé très rapidement et propose désormais plus de 2500 documents directement téléchargeables en ligne, devenant ainsi le premier site d'analyses littéraires en ligne de langue française.

FichesdeLecture est partenaire du Ministère de l'Education du Luxembourg depuis 2009.

Plus d'informations sur www.fichesdelecture.com

ISBN: 978-2-511-02804-9

Notes :